Le invitamos a descubrir Chile,
una tierra de contrastes
que siempre sorprende, un país que recibe
con los brazos abiertos, una nación que ofrece
paz y prosperidad.

Genzyme Chile Ltda.
Isidora Goyenechea 3120, Oficina 2-B, Las Condes, Santiago de Chile
Teléfono: (56-2) 428 2800

Norberto Seebach

Chile

Editorial Kactus

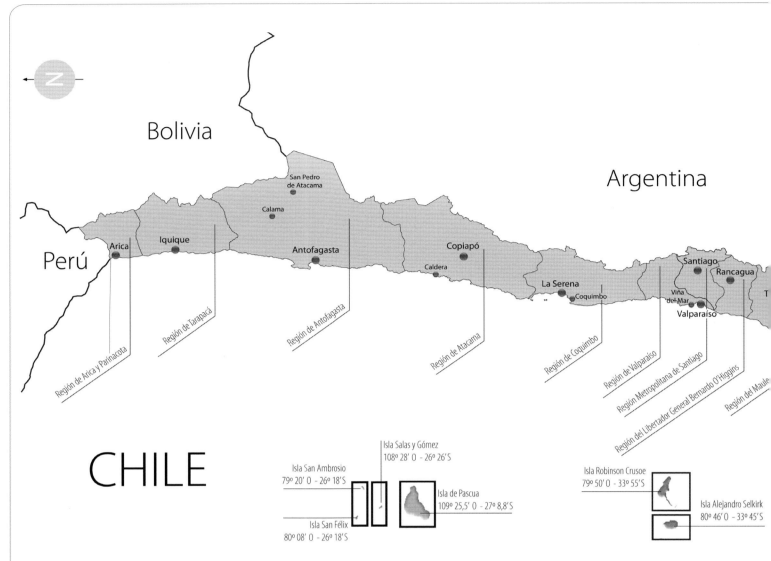

Bolivia

Argentina

Perú

San Pedro
de Atacama

Calama

Arica

Iquique

Antofagasta

Copiapó

Santiago

Rancagua

Caldera

La Serena

Coquimbo

Viña
del Mar

Valparaíso

T

Región de Arica y Parinacota

Región de Tarapacá

Región de Antofagasta

Región de Atacama

Región de Coquimbo

Región de Valparaíso

Región Metropolitana de Santiago

Región del Libertador General Bernardo O'Higgins

Región del Maule

Isla Salas y Gómez
108º 28' O - 26º 26'S

Isla San Ambrosio
79º 20' O - 26º 18'S

CHILE

Isla de Pascua
109º 25,5' O - 27º 8,8'S

Isla Robinson Crusoe
79º 50' O - 33º 55'S

Isla San Félix
80º 08' O - 26º 18'S

Isla Alejandro Selkirk
80º 46' O - 33º 45'S

Antes de la llegada de los españoles, Chile poseía una rica cultura indígena que se extendía a lo largo de todo el territorio. Los pueblos originarios presentaban distintas características culturales y grados de organización.

En el norte, la costa estaba poblada por los Changos, dedicados principalmente a la pesca, y hacia el interior por los Aymaras, Atacameños y Diaguitas, que practicaban la ganadería, agricultura y alfarería.

En la zona centro vivían los Pincunches, Mapuches, Huilliches y Cuncos, pueblos agrícolas y ganaderos.

La parte montañosa de la zona central y sur, estaba habitada por pueblos cazadores y recolectores nómadas, entre los que se contaban los Chiquillanes, Pehuenches, Puelches y Poyas.

Más al sur se encontraban los Tehuelches y en la isla de Tierra del fuego los Selk'nam. La zona costera y de lo canales estaban asímismo, pobladas por pueblos pescadores como los Chonos, Alacalufes y Yaganes.

En el año 1460, el Imperio Inca comienza su expansión y conquista hacia el sur, llegando hasta el río Maule, en donde son contenidos por los Mapuches.

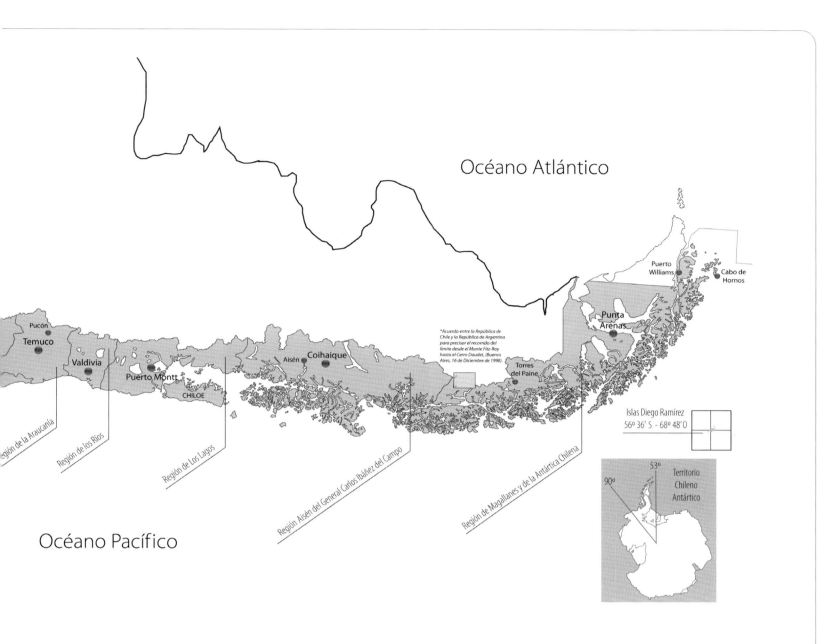

Océano Atlántico

Océano Pacífico

Pucón
Temuco
Valdivia
Puerto Montt
CHILOE

Aisén
Coihaique

Torres
del Paine

Punta
Arenas

Puerto
Williams

Cabo de
Hornos

*Acuerdo entre la República de
Chile y la República de Argentina
para precisar el recorrido del
límite desde el Monte Fitz-Roy
hasta el Cerro Daudet, (Buenos
Aires, 16 de Diciembre de 1998).

Islas Diego Ramírez
56° 36' S - 68° 48' O

Región de la Araucanía
Región de los Ríos
Región de Los Lagos
Región Aisén del General Carlos Ibáñez del Campo
Región de Magallanes y de la Antártica Chilena

53°
90°
Territorio
Chileno
Antártico

*B*efore the arrival of the Spanish, Chile already possessed a rich Indian culture that extended throughout the territory. The different native tribes had different cultural characteristics and degrees of organisation.
In the North, the coastland was inhabited by the Changos, who were mainly fishermen, while inland the Aymaras, Atacameños and Diaguitas lived from cattle farming, agriculture and pottery.
The midlands or central area of Chile were home to the Pincunches, Mapuches, Huilliches and Cuncos, all arable and
cattle farming tribes.
The mountains of the central and southern areas were inhabited by nomadic tribes that were hunters and harvesters,
which included the Chiquillanes, Pehuenches, Puelches and Poyas.
The Tehuelches lived further south, while the island of Tierra del Fuego was home to the Selk'nam. The coast and chan-
nel areas were populated by fishing tribes such as the Chonos, Alacalufes and the Yaganes.
In 1460, the Inca Empire began its southern expansion and conquest and reached the river Maule, where they were
halted by the Mapuche Indians.

Historia

En 1535, Diego de Almagro dirige una tortuosa primera expedición española a Chile. Pero es Pedro de Valdivia en 1540 quien inicia la verdadera conquista del territorio con la fundación de ciudades como Santiago (1541), La Serena (1544), Concepción (1550) y Valdivia (1552). La llegada de los españoles marca el nacimiento de una nueva forma de cultura y de sociedad que determinarían el desarrollo e identidad del país a lo largo de los siglos. En acorde con el dificultoso y accidentado avance de la conquista española, en 1541 se inicia la Guerra de Arauco que no encontrará un desenlace hasta ya avanzado el siglo XIX. Siguiendo con lo anterior, y aislado de los grandes centros políticos, Chile atraviesa a lo largo de la época colonial duros periodos, acentuados por los desastres naturales, la piratería y las rebeliones indígenas, entre otras cosas.

Con la llegada de los Borbones al trono español durante el siglo XVIII, se inicia un nuevo periodo de reformas y desarrollo del Chile colonial.
El 18 de septiembre de 1810, en reacción a la captura del rey español Fernando VII por parte de Napoleón, los criollos chilenos celebran la Primera Junta de Gobierno, acto que marca el inicio del proceso independentista. Luego de un periodo de casi veinte años de lucha con España, en el que la metrópoli logra una momentánea Reconquista (1814 a 1817), Chile proclama su independencia el 12 de febrero de 1818, y que se consolida el 5 de abril del mismo año con la Batalla de Maipú. Asume como jefe de gobierno uno de los próceres, Bernardo O'Higgins, quien introduce importantes reformas sociales.

En 1833, se promulga una Constitución que extenderá su dominio hasta 1891, y establece un rol protagónico y fuerte del Ejecutivo. Estos años se ven marcados por la figura de Diego Portales, quien será el que asiente las bases de la organización y funcionamiento del Estado republicano chileno. Entre 1836 y 1839 toma lugar la primera guerra contra Perú y Bolivia y en 1865, Chile se enfrenta nuevamente contra España.

La segunda mitad del siglo XIX es una etapa de desarrollo y bonanza económica, impulsada fundamentalmente por el descubrimiento y explotación de yacimientos mineros en el norte del país y cierta estabilidad interna.

Entre los años 1879 y 1883, se desarrolla la Guerra del Pacífico entre Chile y la alianza de Perú y Bolivia. Durante esta guerra, Chile logra extender su territorio hacia el norte e incorporar importantes recursos naturales.

En 1891, una funesta guerra civil entre partidarios de un Ejecutivo fuerte y los defensores de un régimen con más protagonismo del Legislativo, culmina con el suicidio del Presidente, José Manuel Balmaceda, y la instauración del llamado Periodo Parlamentario, que durara hasta 1925. Estos años se ven marcados por un gobierno oligárquico e inestable, con la predominancia del Congreso por sobre el Presidente.

El año 1925 marca un giro en la historia política y social de Chile. Es el año que se promulga una nueva Constitución que da inicio a un periodo democrático y presidencialista, que durará casi cincuenta años. Además, éste es el año en que se separa la Iglesia del Estado y en que los nuevos actores sociales de la época son invitados a participar en la vida política. Obviando la gran crisis de 1929, en la que Chile fue uno de los países más perjudicados a nivel mundial, éste es un periodo de notable estabilidad económica.

Entre los años 1925 y 1973, se alternan en el poder grupos de derecha, radicales, populistas, demócrata cristianos y socialistas. En 1970, es elegido Presidente Salvador Allende, representante de la coalición de izquierda, que entabla importantes reformas en el plano económico y social. Sin embargo, la sociedad chilena de esos años sufre progresivamente una polarización que no logra encontrar una salida por las vías institucionales de negociación. Ello desemboca el 11 de septiembre en el Golpe de Estado impulsado por las Fuerzas Armadas.

Se instala en el poder una Junta Militar, encabezada por el General del Ejército Augusto Pinochet, y que gobernará el país por diecisiete años. Este periodo está marcado por fuertes reformas económicas que establecerán las bases del modelo económico chileno de inspiración neoliberal y también por violaciones de los derechos humanos, un relativo aislamiento internacional y fuertes tensiones internas. En 1980, una nueva Constitución Política es refrendada por un plebiscito.

Los años 1990 constituyen el regreso a la democracia, con una coalición de centro-izquierda gobernando el país bajo la presidencia de Patricio Aylwin (1990-1994), Eduardo Frei Ruiz-Tagle (1994-2000), Ricardo Lagos (2000-2006) y la actual Presidenta Michelle Bachelet (2006-2010). Dichos gobiernos se han abocado a retomar el modelo económico instaurado por el gobierno militar, con un crecimiento que ha sido sostenido pero que también se ha concentrado en la búsqueda de mayor equidad y desarrollo social. Además se ha logrado expandir las redes y acuerdos internacionales, tanto políticos como económicos. En el 2010, se esperan grandes celebraciones a lo largo del país, ya que se cumple el bicentenario de la Primera Junta de Gobierno.

History

In 1535, Diego de Almagro carried out a tortuous first Spanish expedition to Chile. But it was Pedro de Valdivia in 1540 who initiated the true conquest of these lands by founding cities such as Santiago (1541), La Serena (1544), Concepcion (1550) and Valdivia (1552). The arrival of the Spanish marks the birth of a new type of culture and society which was to determine the development and the identity of this country over the coming centuries. As the Spanish conquest advanced amid difficulties and accidents, in 1541 the war of Arauco broke out, which was to last well into the 19th century. Given this background and isolated from the great political centres throughout its colonial period, Chile underwent a series of hard times enhanced by natural disasters, piracy and Indian rebellions, among other factors.

The arrival of the Bourbon dynasty to the Spanish throne during the 18th century marked the commencement of a new period of reforms and development in colonial Chile.
On 18 September 1810, as a reaction to the capture of the Spanish king Fernando VII by Napoleon, Chilean creoles held their First Government Committee, which represents the starting point of the independence process. Following a period of almost 20 years' fighting with Spain, the metropolis gained a momentary Reconquest (1814 to 1817), Chile proclaimed its independence on 12th February 1818, which was consolidated on the 5th April the same year at the Battle of Maipo. One of the national heroes, Bernardo O'Higgins, became head of government and introduced significant social reforms.

In 1833, a constitution was passed which was to last until 1891 and which established a strong protagonist role for the Executive. This period was marked by the figure of Diego Portales, who was to establish the basis of organisation and functioning for the Republican state of Chile. Between 1836 and 1839, the first war against Peru and Bolivia took place and in 1865, Chile once again went to war with Spain. The second half of the 19th century was a period of development and economic bonanza, boosted mainly by the discovery and exploitation of mining deposits in the north of the country and by certain internal stability.

Between 1879 and 1883, the Pacific War between Chile and the Peru / Bolivia Alliance took place. During the war, Chile was able to extend its territory towards the north and to seize important natural resources.

In 1891, a disastrous civil war between followers of a strong Executive and defenders of a regime which called for more protagonism for the Legislative power culminated in the suicide of President Jose Manuel Balmaceda and the establishment of the so-called Parliamentary Period, which was to last until 1925. These years were marked by an unstable, oligarchy in which Congress predominated over the President.

1925 marks a turning point in the political and social history of Chile. That was the year in which a new Constitution was passed that initiated a period of democratic presidency that was to last almost 50 years. Furthermore, in that same year, the Church was separated from the State and new social spokesmen of the period were invited to join the political arena. Apart from the crisis following the 1929 crack, in which Chile was one of the countries that most suffered worldwide, this was a period of remarkable economic stability.

Between 1925 and 1973, power alternated between right-wing, radical, populist, Christian Democrat and the socialist groups. In 1970, Salvador Allende was elected president as representative of a left-wing coalition that set up significant social and economic reforms. However, the Society of Chile in those years was progressively suffering from a polarisation that could not find a satisfactory exit through the institutional paths of negotiation, thus leading to the coup d 'état by the armed forces of the 11th September.

A military junta led by the army general, Augusto Pinochet, took power and governed the country for seventeen years. This period was marked by significant economic reforms that set up the basis for the Chilean economic model based on neoliberalism. It was also a period in which human rights were violated, thus leading to progressive international isolation and severe internal unrest. In 1980, a new Political Constitution was voted in by referendum.

The 1990's represent a return to democracy, with a central left coalition governing the country under Patricio Aylwin (1990-1994), Eduardo Frei Ruiz-Tagle (1994-2000), Ricardo Lagos (2000-2006) and today's president Michelle Bachelet (2006-2010). These governments have striven to recover the economic model established by the military government, with sustained growth but also aimed at achieving greater social equity and development. At the same time, efforts have been made to expand international networks and agreements, both on the political and economic fronts. In 2010, large-scale celebrations are expected throughout the country to celebrate the bicentenary of the First Government Committee.

Geografía

Chile ha sido descrito muchas veces como "una larga y angosta faja de tierra" que se extiende en dirección norte-sur, aprisionada entre la Cordillera de los Andes y el Océano Pacífico.

Uno de sus rasgos más distintivos es la gran diversidad de climas, ecosistemas y paisajes, que maravillan tanto al habitante local como al visitante extranjero.

La explicación de esto está en las enormes diferencias de latitud que presenta el país, desde la frontera con Perú y Bolivia hasta el Cabo de Hornos, cubriendo una distancia superior a 4.200 kilómetros. Si incluimos el Territorio Antártico Chileno, este viaje continúa sin detenerse hasta el mismo Polo Sur.

La variedad de climas se ve enriquecida además por la extensión del territorio de Chile hacia el Océano Pacífico, cuyas muestras más importantes son Isla de Pascua, donde imperan condiciones propias de la Polinesia, y el Archipiélago Juan Fernández, caracterizado por una alta humedad, que posibilita el crecimiento de una rica y abundante flora endémica.

Las precipitaciones son un factor que muestra una enorme variación de acuerdo a la latitud, con una tendencia general al aumento conforme se avanza hacia el sur. En la zona norte de Chile se registra además un fenómeno conocido como "invierno altiplánico", originado por las altas temperaturas del periodo estival, que causan la formación de nubes que precipitan debido a la condensación provocada por las masas frías de las montañas.

Bajando desde la Cordillera de los Andes hacia el oeste, el territorio chileno presenta como rasgo general una depresión intermedia, que es seguida por otro cordón montañoso denominado Cordillera de la Costa, para luego llegar hasta el mar.

Al sur del río Biobío existe una zona de especial relevancia turística, conocida como Región de los Lagos, caracterizada también por la presencia de numerosos volcanes activos.

Esta configuración se mantiene hasta llegar a la ciudad de Puerto Montt, punto en el cual el valle central se hunde en el mar y da paso a un archipiélago conformado por cerca de 5.000 islas. Las regiones que se despliegan a continuación son Chiloé y tambien Chiloé continental y Aisén, que forman parte de la Patagonia, un extenso territorio compartido con Argentina.

En la lluviosa y fría región de los canales patagónicos, muchos glaciares descargan sus frentes directamente en el mar, deshaciéndose en innumerables témpanos, lo que ofrece un espectáculo de inigualable belleza, debido al contraste con la exuberante vegetación que los rodea.

Un rasgo de especial relevancia en la cordillera austral es la presencia de dos enormes Campos de Hielo Patagónico.

El Campo de Hielo Patagónico Norte está ubicado entre el Lago General Carrera y el Golfo de Penas, y tiene cerca de 100 kilómetros de largo en dirección norte-sur, con un ancho promedio de 40 kilómetros. Existen numerosos glaciares que caen al mar o a lagunas de baja altura. El más conocido es el Glaciar San Rafael, que destaca por ser el más cercano a la Línea del Ecuador (46°40' S.) que vierte sus témpanos al mar.

Inmediatamente a continuación del Golfo de Penas se encuentra el Campo de Hielo Patagónico Sur, que es la mayor extensión glaciar del hemisferio austral fuera de la Antártica, con cerca de 350 kilómetros de largo y un ancho que varía entre 40 y 60 kilómetros. El glaciar más famoso de esta zona, el Pío XI, es también el más extenso y está dentro de los circuitos de turismo marítimo más relevantes del sur de Chile.

Otra característica de la Cordillera de los Andes es su gradual pérdida de altura, en la medida que desciende la latitud. Las montañas de más de 6.000 metros son frecuentes en el norte de Chile y también en el centro, pero sólo hasta la zona ubicada frente a Santiago. Algunos cerros de más de 5.000 metros todavía se pueden encontrar un poco más al sur, pero ya no existen en la Región de los Lagos, mientras que en la Patagonia el más alto es el Monte San Valentín con 3.910 metros.

Geography

Chile has been described as a "long and narrow strip of land" that stretches north to south trapped between the Andes Mountains and the Pacific Ocean.

One of its most distinctive features is the great diversity of climates, ecosystems and landscapes that fascinate both locals and foreign visitors.

The explanation for this lies in the enormously different latitudes within the country, which extends over 4,200 kilometres from its northern border with Peru and Bolivia to Cape Horn in the south. If we add the Chilean Antarctic Territories, the country can be said to stretch incessantly as far as the South Pole.

The variety of climates is also enhanced by Chile's Pacific territories, the most important of which are Easter Island and the Juan Fernandez Archipelago, where temperature and humidity levels are akin to the rest of Polynesia.

Another feature that varies tremendously depending on the latitude is the rainfall. The further south one ventures, the greater the rainfall tends to be. In northern Chile, there exists a meteorological phenomenon known as the "Altiplano winter", caused by high summer temperatures that lead to a build-up of rain clouds that discharge as they clash with the condensation produced by the cold mass of the Andes Mountains.

Coming westwards down from the Andes, the most prominent feature is the midland depression, followed by another series of mountains known as the Coastal Range (Cordillera de la Costa), until one eventually reaches the sea.

South of the river Biobio lies an area of special interest for tourists and holidaymakers known as the Lake District, characterised by the presence of numerous active volcanoes.

This environment remains constant as far as the city of Puerto Montt, which is the point where the central valley sinks into the sea to create an archipelago made up of nearly 5000 islands. The next regions after that point are Chiloe and Aisen, which form the gateway to Patagonia, an extensive territory that belongs to both Chile and Argentina.

In the cold, rainy region of the Patagonian channels, a multitude of glaciers slide directly into the sea, breaking up to form innumerable ice-floes, which makes for the most extraordinarily beautiful spectacle thanks to the contrast with the exuberant vegetation surrounding them.

An especially prominent feature in the southern mountain range is the presence of two enormous Patagonian Ice Fields.

The Northern Patagonian Ice Field is situated between Lake General Carrera and the Gulf of Penas and runs north-south for nearly 100 kilometres with an average width of 40 kilometres. There exist numerous glaciers that run into the sea or low altitude lagoons. The most famous of these is the San Rafael Glacier, the significance of which lies in that it is the nearest sea-discharging glacier to the Equator (46°40' S).

Immediately after the Gulf of Penas lies the Southern Patagonian Ice Field, which, with its length of nearly 350 kilometres and width of between 40 and 60 km., is the largest glacier landmass in the southern hemisphere outside the Antarctic. The most famous glacier in this area, the Pius XI, is also the most extensive and is situated on the busiest crusing circuit in the south of Chile.

Another characteristic of the Andes Mountains is how the range gradually loses altitude the further south one goes. Mountains of over 6,000 m in height are frequent in the north of Chile and also in the centre but die out south of the area opposite Santiago. A little further south one can still find some peaks of over 5,000 metres but there are none in the Lake District, while in Patagonia Mount San Valentin (3,910 metres) is the highest summit.

Flora y Fauna

Al igual que otros rasgos del territorio chileno, la vegetación está fuertemente determinada por la latitud, el relieve y los tipos de clima imperantes en cada región.

En el desierto es muy escasa: musgos, líquenes, cactus y algunos matorrales, que encuentran mayor desarrollo al amparo de las quebradas. En la cordillera de esta región aparecen prados de altura, donde destacan el coirón y la llareta.

El descenso en latitud permite el aumento gradual de formaciones arbustivas y arbóreas propias del clima desértico, como el guayacán, molle y algarrobillo, paisaje que es interrumpido junto a la desembocadura del río Limarí por una comunidad biológica absolutamente atípica para esta latitud: los bosques de Fray Jorge y Talinay, que presentan especies propias de la zona sur, tales como canelos, olivillos y helechos, mantenidos acá por un especial microclima de humedad costera.

En los valles y precordillera de la zona central existe una marcada diferencia entre las laderas de exposición sur, que quedan más protegidas del sol y conservan mejor la humedad de las lluvias invernales, con especies como boldos, litres, peumos y arrayanes; y las de exposición norte, más secas, donde predominan los quiscos y espinos.

El aumento paulatino de la humedad hacia el sur permite la existencia de una diversidad arbórea más amplia, con especies como roble, ciprés, coigüe, lenga y raulí, que siguen siendo importantes en puntos de la precordillera frente a las ciudades de Linares y Chillán, pero que han desaparecido desde hace tiempo en los valles y la Cordillera de la Costa debido a la acción humana.

La presencia de vegetación natural se recupera al sur del río Biobío, donde todavía existen manifestaciones intercaladas con terrenos dedicados a la agricultura, ganadería y las plantaciones forestales. Acá aparecen especies arbóreas propias de un clima húmedo, como laureles, lumas, mañíos, lingues y ulmos, cuya presencia se va haciendo más significativa conforme se avanza hacia el sur.

Esta diversidad se va haciendo más estrecha en la Cordillera de los Andes como producto de la altura y el frío, donde el último estrato de vegetación está ocupado por especies como el coigüe, el ñirre y la lenga, que luego dan paso a los prados de coirón.

Una mención especial merece la araucaria, especie arbórea que se distribuye en esta zona entre los volcanes Antuco y Lanín, y en la costa en la Cordillera de Nahuelbuta, ocupando la cota más alta de las montañas, junto a los matorrales de ñirre. Es fácilmente reconocible por su forma de paraguas y los ejemplares más longevos tienen sobre 2.000 años de antigüedad. Fue declarada Monumento Natural en 1976, con lo cual su corte se encuentra prohibido.

La máxima diversidad botánica de Chile se encuentra entre las ciudades de Temuco y Puerto Montt, para luego empezar a descender por efecto del frío. No obstante, la zona ubicada entre Puerto Montt y el extremo austral de Chile es la que presenta las masas boscosas más importantes y menos intervenidas por la acción humana, lo que hace de estos ecosistemas un atractivo científico y turístico de primer orden.

La especie de mayor renombre en esta zona es el alerce, que se distribuye entre las provincias de Valdivia y Palena, y cuyos ejemplares más antiguos tienen cerca de 4.000 años. Al igual que la araucaria, el alerce está declarado Monumento Natural, aunque aún se debe luchar contra su tala ilegal.

La fauna de Chile exhibe una variedad muy ligada a los distintos ecosistemas que presenta el territorio, aun cuando hay ciertas especies que se distribuyen a todo su largo. En la costa, las más llamativas son el lobo marino común y el chungungo, o nutria de mar, mientras que en la Cordillera de los Andes habitan el puma, o león americano, y el cóndor andino.

En ambos extremos de este mismo cordón montañoso vive en estado silvestre un camélido típico sudamericano, el guanaco.

En el altiplano nortino sobresalen otras especies de camélidos, que desde hace siglos han sido incorporadas al ganado de los pueblos andinos ancestrales, como la llama y la alpaca, además de la vicuña, que se mantiene en estado de semicautiverio para explotar su valiosa lana.

Entre los depredadores de menor tamaño se pueden encontrar distintas especies de zorros, como la chilla y el culpeo; de gatos salvajes, como la huiña y el colo-colo; y mustélidos, como el quique y el chingue. Algunas zonas boscosas albergan también dos tipos nativos de ciervo: el huemul y el pudú.

También se deben mencionar dos animales que fueron introducidos artificialmente, pero que se han reproducido ampliamente en estado silvestre: el jabalí europeo en la Región de los Lagos y el castor en la Patagonia.

Las aves más llamativas del extremo norte son las parinas, o flamencos. En la zona centro y sur se encuentran diferentes tipos de águilas, lechuzas y aves carroñeras. Las lagunas cobijan gran cantidad de patos silvestres y garzas, además del famoso cisne de cuello negro, mientras que los bosques deleitan con la presencia y sonoridad de pájaros carpinteros y loros, como el tricahue y el choroy. En la Patagonia destacan un ganso salvaje de amplia distribución, el caiquén; y un avestruz de pequeño tamaño, el ñandú, que habita en las planicies del extremo austral y la isla de Tierra del Fuego.

La extensa costa de Chile presenta una avifauna amplísima, con gaviotas, cormoranes, pelícanos, petreles y pingüinos, entre otros. En la Antártica también proliferan grandes mamíferos, como elefantes, leopardos y lobos marinos; delfines, orcas y distintas especies de ballenas.

Flora and Wildlife

*A*s with other features of Chile, the vegetation depends strongly on the latitude, the relief and the type of predominant climate in each region.

In the desert, vegetation is very scarce: moss, lichens, cactus and certain bushes that grow best in the shelter of the ravines. The mountains in this area are home to green highland pastures filled with coiron (Festuca gracillima) and llareta (Azorella compacta).

At lower latitudes, desert trees and shrub formations gradually become more prominent, such as guayacán, molle and algarrobillo, a setting which is suddenly altered next to the mouth of the River Limarí by a biological stand that is completely atypical in such latitudes: the Fray Jorge and Talinay forests, which house species belonging to Southern regions such as canelos (Drimys winteri), olivillos (Aextoxicon punctatum) and ferns, but which survived here thanks to a special microclimate of coastal humidity.

In the valleys and foothills of the central region there exists a significant difference between the hillsides facing south - more protected from the sun so they conserve the humidity of winter rain better, with species such as boldo (Peamus boldos), litre (Lithraea caustica), peumo (Cryptocarya alba) and arrayan (Myrtus comunis) - and those facing north, which are drier and where quiscos (Echinopsis chiloensis) and espinos (Acacia caven) abound.

The gradually increasing humidity as one travels south enables the widest diversity of trees to exist, with species such as oak, cypress, coigüe (Nothofagus dombeyi), lenga (Nothofagus pumilio) and rauli (Nothofagus alpino), still significant in areas of the foothills around the cities of Linares and Chillán, but which have long disappeared from the valleys and Coastal Mountains due to the action of man.

The presence of natural vegetation recovers south of the river Biobio, where it mingles with farmlands used for agriculture, cattle rearing and tree farming. Tree species typical of humid climates app ear in this area, such as laurel, luma (Myrtus luma), mañio (Podocorpus saligna), lingue (Persea lingue), and ulmo (Eucryphia cordifolia), the presence of which grows the closer to the sea one goes.

This diversity narrows down in the Andes Mountains as a result of the altitude and cold, where the last strata of vegetation is formed by species such as the coigüe, ñirre and lenga, which then lead to fields of coiron.

Special mention should be given to the Araucaria, a species of tree found in this area between the volcanoes of Antuco and Lanín and on the coast in the Nahuelbuta Mountains, where it grows in the highest lands next to ñirre bushes. With its umbrella-shape, it is easy to recognize and the longest lasting specimens can live for over 2000 years. It was declared a Natural Monument in 1976, so that it is now illegal to fell it.

The greatest botanical diversity in Chile is to be found between the cities of Temuco and Puerto Montt, before it diminishes as a result of the cold. However, the area situated between Puerto Montt and the southernmost point of Chile is the one that holds the most important and least spoilt forest stands, so that these ecosystems are top scientific and tourist attractions.

The most famous species in this area is the Alerce, present throughout the provinces of Valdivia and Palena, of which the oldest specimens are nearly 4000 years old. As with the Araucaria, the Alerce has been declared a Natural Monument, although the fight continues to eliminate illegal felling.

The wildlife of Chile varies with the different ecosystems present there, although certain species are distributed throughout the country. On the coast, the most striking animals are the common seal and the chungungo or sea otter, while inland in the Andes the puma or American Lion and the Andean condor are amongst the most significant species.

The guanaco, a typical South American camel, lives wild on either side of the mountains.

Other species of camels are also prominent in the northern altiplano, which for centuries have formed part of ancient Andean native cattle breeding, such as the llama and the alpaca, apart from the vicuña, which is reared in semi-captivity to exploit its valuable wool.

Among smaller predators, different species of fox, such as the chilla and the culpeo can be found; or wild cats, such as the huiña and the colocolo; and mustelidae, such as the quique and the chingue. Some forests are home to two native types of deer: the huemul and the pudu. Mention should also be made of two animals that were introduced artificially but which have reproduced on a large scale in the wild: the European wild boar in the Lake District and the beaver in Patagonia.

The most significant birds in the far north are the parinas, or flamingos. In the midlands and in the south, different types of eagles, owls and scavengers can be found. The lakes are home to a large number of wild ducks and herons, as well as the famous black-necked swan, while the forests are alive with the hectic sounds of woodpeckers and parrots, such as the tricahue and the choroy.

A wild goose, the caiquen, is widely distributed throughout Patagonia, as is a small ostrich known as the ñandu, which lives on the southern plains of the mainland and on the island of Tierra del Fuego.

Chile's extensive coastline is home to a wide range of wild birds including seagulls, cormorants, pelicans, petrels and penguins, among others. In Antarctica, large mammals also proliferate, such as sea elephants, leopards, and seals; dolphins, killer whales and other species of whale.

Bofedales en el Parque Nacional Lauca.
(Región de Arica y Parinacota)

Wetlands, Lauca National Park.
(Arica Parinacota Region)

El altiplano andino es una gran meseta que se ubica entre los 3.000 y 4.000 metros sobre el nivel del mar, con cumbres que se empinan sobre los 6.000 metros, repartida entre el sur de Perú, el este de Bolivia, el norte de Chile y el noroeste de Argentina. Los primeros pueblos aborígenes habitaron esta región hace cerca de 10.000 años, estableciendo un sólido vínculo con la madre tierra –llamada pachamama– y dedicándose al pastoreo y la agricultura en terrazas, mediante elaborados sistemas de riego. Esta zona también vio florecer dos de las civilizaciones americanas más importantes, como fueron la cultura Tiwanaku y el Imperio Inca.

The Andean Altiplano is an extensive plain lying at an altitude of between 3,000 and 4,000 m above sea level, with peaks that reach over 6000 m and which stretches through the south of Peru, the East of Bolivia, the North of Chile and North West Argentina. The first native tribes inhabited this region about 10,000 years ago, establishing solid links with Mother Earth –known as Pachamama– and devoted to animal rearing and agriculture on terraces that used elaborate irrigation systems. The area was also the home ground of two of America's most important civilisations, the Tiwanaku culture and the Inca Empire.

Salar de Surire.
(Región de Arica y Parinacota)

Surire Salt Lake.
(Arica Parinacota Region)

Nevados de Payachata. Volcanes Pomerape y Parinacota.
(Región de Arica y Parinacota)

Nevados de Payachata, Pomerape and Parinacota Volcanoes .
(Arica Parinacota Region)

Lago Chungará.
(Región de Arica y Parinacota)

Chungara Lake.
(Arica Parinacota Region)

El Parque Nacional Lauca tiene la condición de Reserva Mundial de la Biosfera. Este santuario natural ocupa una superficie cercana a las 140.000 hectáreas en la cordillera del extremo norte de Chile, en la zona fronteriza con Bolivia, donde se alza como una valiosa muestra de los ecosistemas del altiplano andino.

Debido a la perfecta integración que los pueblos originarios de esta zona han alcanzado con su entorno, el Parque Nacional también incluye dentro de sus límites algunos poblados, cuyos habitantes viven en armonía con el medio ambiente. En el plano natural, destacan como atractivos las lagunas Chungará y Cotacotani, donde se pueden observar flamencos, las que están rodeadas por zonas húmedas llamadas bofedales, donde pastan llamas, alpacas, guanacos y vicuñas. Las principales alturas del Parque son los volcanes Pomerape (6.282 m.), Parinacota (6.342 m.) y Guallatire (6.060 m.).

The Lauca National Park is classified as part of the World Biosphere Reserve. This sanctuary occupies a surface of area nearly 140,000 hectares in the mountains of northernmost Chile in the border area with Bolivia, where it stands as a priceless sample of the ecosystems that exist in the Andean Altiplano.

Thanks to the perfect integration that the native peoples of this area have forged with their environment, the National Park also includes a few villages within its limits, whose inhabitants live in harmony with the Environment. With regard to the nature there, prominent attractions are the Chungara and Cotacotani lagoons, where flamingos can be seen surrounded by wetlands known as Bofedales (Wetlands), which serve as pastures for llamas, alpacas, guanacos and vicuñas. The main peaks in the Park are the volcanoes Pomerape (6,282 m.), Parinacota (6,342 m.) and Guallatire (6,060 m.).

Iglesia de Isluga.
(Región de Tarapacá)

Isluga Church.
(Tarapaca Region)

Uno de los primeros pueblos con que entró en contacto el conquistador español al penetrar desde el norte en el territorio chileno fue el de los aymara, que habitaban también en la zona altiplánica de Bolivia y el sur de Perú. Tenían desarrollado el pastoreo y la explotación agrícola, y se distribuían tanto en la costa como en la cordillera, intercambiando los bienes que producían en estas dos regiones. Los aymara comparten muchos rasgos con los quechuas, fundadores del imperio inca, que hasta hoy ocupan las tierras del altiplano andino. Otro pueblo importante que habitaba la zona norte de Chile era el de los changos, que vivían en la costa, dedicados a la extracción de peces y moluscos, y a la cacería de lobos marinos, trasladándose de un lugar a otro, por lo que no llegaron a practicar la agricultura.

Sillajuay.
(Región de Tarapacá)

Sillajuay.
(Tarapaca Region)

One of the first tribes that the Spanish conquistadores met on their route in through the north of Chile were the Aymara, who inhabited the Andean Altiplano area of Bolivia and southern Peru. They were cattlemen and farmers distributed both on the coast and in the mountains who bartered the goods produced in both areas. The Aymara have many characteristics in common with the Quechuas, founders of the Inca Empire, who up until the present day dwell in the lands of the Andean Altiplano. Another important tribe that lived in the north of Chile were the Changos, who roamed up and down the coast fishing, extracting molluscs and hunting sea lions, so that they never managed to develop agriculture.

Villablanca.
(Región de Tarapacá)

Villablanca.
(Tarapaca Region)

Las tierras altas de la Cordillera de los Andes albergan cuatro especies de camélidos cuya importancia no se restringe a un aspecto meramente zoológico, ya que destacan sobre todo por su gravitación en el estilo de vida y como medio de subsistencia de los pueblos altiplánicos. Se trata de la llama y la alpaca, que constituyeron la base de su ganadería, aportando carne y lana; y el guanaco y la vicuña, que a través del tiempo se han mantenido como rebaños en estado silvestre. No obstante, en el caso de la vicuña se han establecido planes de manejo coordinados entre los países que comparten el altiplano andino, debido al alto valor que alcanza su lana y al riesgo en que llegó a estar esta especie hace algunas décadas.

Rebaño de llamas en Caquena.
(Región de Arica y Parinacota)

A herd of llamas, Caquena.
(Arica Parinacota Region)

The highlands of the Andes Mountains are home to four species of camelidae whose significance is not restricted to the purely zoological factor, as they are most important for their role in a style of life and as a means of subsistence for the peoples that inhabit the Altiplano. The four species are the Llama and the Alpaca, which represented the basis of their cattle farming by contributing both meat and wool, and the Guanaco and Vicuña, which have remained in wild herds through the passing of the centuries. However, in the case of the vicuña, co-ordinated management plans have been set up between the countries that share the Andean Altiplano given the high value that its wool holds and the precarious situation this species was in a few decades ago.

San Pedro de Atacama.
(Región de Antofagasta)

San Pedro de Atacama.
(Antofagasta Region)

El valle de la Luna es una impresionante formación natural ubicada en el desierto de Atacama, a 17 kilómetros del poblado de San Pedro de Atacama, en la precordillera de la Región de Antofagasta.

Se caracteriza por interesantes formaciones de piedra y arena que le otorgan a todo este sector una gran semejanza con un paisaje lunar, a lo cual debe su nombre. El lugar presenta lagos secos con alto contenido de sal y agrupaciones minerales que se traducen en un alucinante despliegue de colores, los que se intensifican en la medida que se acerca el ocaso. Una de las excursiones más interesantes que se pueden hacer a esta zona es en las noches de luna llena, ocasión en que el paisaje adquiere tonalidades y juegos de luces y sombras imposibles de apreciar bajo otras condiciones.

La Luna Valley is an impressive natural rock formation in the desert of Atacama, 17 kilometres from the village of San Pedro de Atacama in the foothills of the Antofagasta Region.
It is characterised by interesting stone and sand formations that make the whole area resemble a lunar landscape, from which it takes its name. It has dry lakes with a high salt and mineral content which bestow it an incredible display of colours that become more and more intense as twilight approaches. One of the most interesting excursions that can be made in this area is on nights with a full moon, when the countryside acquires hues and tones and an assortment of light and shade that is impossible to see under other circumstances.

Valle de la Luna.
(Región de Antofagasta)

Moon Valley.
(Antofagasta Region)

Altiplano al norte de San Pedro de Atacama.
(Región de Antofagasta)

Altiplano, north of San Pedro de Atacama.
(Antofagasta Region)

El Desierto de Atacama se extiende por el sur desde el río Copiapó hasta el extremo norte de Chile y atraviesa las Regiones de Atacama, Antofagasta, Tarapacá, Arica y Parinacota. Su superficie es muy rocosa y la vegetación es prácticamente inexistente, salvo en lugares donde hay napas subterráneas a baja profundidad, permitiendo el crecimiento de especies adaptadas al desierto, como cactus, tamarugos y coirón. Esta zona es rica en recursos minerales, y además posee como atractivos algunos sitios arqueológicos y los restos de los poblados donde se explotó intensamente el salitre, durante la segunda mitad del siglo XIX y comienzos del siglo XX.

The Atacama Desert stretches from the river Copiapo to the far north of Chile across the Regions of Atacama, Antofagasta, Tarapaca and Arica and Parinacota. It has a very rocky surface and vegetation is practically non-existent except in areas where underground aquifers exist deep down, enabling species adapted to desert conditions, such as the cactus and tamarugo, to grow. The area is rich in mineral resources and also has several attractive archaeological sites and the remains of villages where niter was exploited intensely during the second half of the 19th century and early 20th century.

Laguna Miscanti.
(Región de Antofagasta)

Miscanti Lagoon.
(Antofagasta Region)

Caspana.
(Región de Antofagasta)

Caspana.
(Antofagasta Region)

Se calcula que el pueblo Atacameño llegó hace cerca de 9.000 años a los oasis de la zona de Atacama y la cuenca del río Loa. Eran de costumbres nómades, cazadores y recolectores, pero con el tiempo fueron estableciéndose de manera más regular en las fértiles tierras altas de la región, dando origen a las localidades actuales de Calama, San Pedro de Atacama, Caspana, Lasana, Chiu-Chiu, Peine, Tilomonte y Toconao. Uno de los vestigios arqueológicos de importancia dejados por esta etnia son los pukara, o fortalezas construidas para defenderse de los ataques de pueblos rivales. Los atacameños practicaron la agricultura en terrazas y también la metalurgia, junto a la alfarería y vistosos tejidos.

It is estimated that this tribe arrived about 9,000 years ago at the Atacama Oasis and the River Loa basin. They were nomadic hunters and farmers, but as time passed, they settled more permanently on the fertile lands in the region, laying the foundations of today's towns of Calama, San Pedro de Atacama, Lasana, Chiu-Chiu, Caspana, Peine, Tilomonte and Toconao. One of the most important archaeological remains left by this ethnic group is the Pukara, or forts, constructed to defend themselves from attacks by rival towns. The Atacameños farmed on terraces and also worked metal, pottery and wove bright and colourful fabrics.

Pacana.
(Región de Antofagasta)

Pacana.
(Antofagasta Region)

Los Géiseres del Tatio, el campo geotérmico más alto del mundo, se ubican a 4.200 metros sobre el nivel del mar y a 89 kilómetros de San Pedro de Atacama. Por esta razón, es recomendable haber dormido un par de noches en las zonas altas de la cordillera antes de visitarlos, en lugar de subir directamente desde el nivel del mar, con el objeto de no sufrir descompensaciones por efecto de la altura. La mayor actividad de los géiseres se registra al alba, momento en que ofrecen un espectáculo único, con sus chorros de vapor alzándose con fuerza entre las primeras luces de la mañana. La actividad geotérmica de la zona es apreciable también en las Termas de Puritama, un hermoso arroyo de aguas calientes ubicado a medio camino entre estos géiseres y San Pedro de Atacama.

The Tatio Geysers, the highest geothermal field in the world, is situated at an altitude of 4,200 m above sea level and 89 km from San Pedro de Atacama. For this reason, it is advisable to have slept a couple of nights in the Andean highlands before visiting them, instead of going up directly from sea level, in order to avoid altitude sickness. The geysers are most active at daybreak, when they offer a unique spectacle with their jets of steam shooting out into the early light of the morning. The geothermal activity in this area can also be seen at the Termas de Puritama, a beautiful stream of hot water halfway between these geysers and San Pedro de Atacama.

Géiseres del Tatio.
(Región de Antofagasta)

Tatio Geysers.
(Antofagasta Region)

Cifuncho.
(Región de Antofagasta)

Cifuncho.
(Antofagasta Region)

Desde la época de los primeros asentamientos humanos en América, el mar ha sido una valiosa fuente de sustento para los pueblos que han elegido radicarse en el litoral del norte de Chile. La amplia plataforma continental de esta zona alberga una rica diversidad de peces, que se extraen muy cerca de la costa con rudimentarios botes. También existen playas y roqueríos con gran variedad de mariscos, que han sido parte fundamental de su alimento. Extensos conchales repartidos en toda la costa nortina han quedado como prueba de la abundancia que el mar proveyó a los primeros habitantes de este territorio. Uno de los factores que explican esta riqueza es la presencia de la Corriente de Humboldt, que recorre gran parte de la costa sudamericana, y que se caracteriza por su baja temperatura y salinidad, y alto contenido de oxígeno disuelto, lo que genera favorables condiciones para la reproducción de la fauna marina.

From the times of the first settlers in America, the sea has represented an invaluable source of sustenance for the peoples that have chosen to settle on the coast of northern Chile. The extensive continental shelf in this area is home to a wealth of fish that can be caught very close to the coast with the most rudimentary boats. Beaches and rock pools also exist with a wide range of shell fish that have become a fundamental part of their diet. Numerous buildings made of shells scattered along the northern coast stand as evidence of the generosity with which the sea provided for the early inhabitants of this territory. One of the factors that explain this wealth is the presence of the Humboldt Current, which runs along a large part of the South American coast and is characterised by its low temperature and salinity and high oxygen content, which generates favourable conditions for all kinds of marine-life to reproduce.

La Portada de Antofagasta.
(Región de Antofagasta)

"La Portada", Antofagasta.
(Antofagasta Region)

Desierto Florido.
(Región de Atacama)

Flowered Desert.
(Atacama Region)

A pesar de su habitual aridez, los paisajes del norte de Chile revelan de vez en cuando una bonita sorpresa: el fenómeno conocido como "desierto florido", que consiste en la germinación de miles de semillas y bulbos que han pasado varios años en estado latente bajo el suelo, y que asoman sus capullos y flores por efecto de una precipitación superior a la normal. Este fenómeno se presenta con intervalos variables, algunas veces cada cuatro años, con mayor notoriedad entre las ciudades de Vallenar y Copiapó, tanto en el valle central como en la costa, entre los puertos de Huasco y Caldera. La floración suele comenzar en septiembre y va cambiando su composición conforme avanza la temporada, creando un manto multicolor que varía según las especies, donde destacan los senecios, añañucas, huillis, terciopelos, lirios y suspiros de campo.

Despite their usual arid nature, the landscapes of Chile occasionally provide a delectable surprise: the phenomenon known as the "flower desert", which is when thousands of seeds and bulbs that have been latent under the ground for a number of years germinate with higher than normal rainfall and give birth to colourful buds and flowers. The phenomenon takes place at irregular intervals, most notoriously between the cities of Vallenar and Copiapo in the central valley and along the coast between the ports of Huasco and Caldera. Blossom generally starts in September and changes its composition as the season advances, creating a multi-coloured blanket that varies with the different species of senecios, añañucas (Rhodophiala advena), huillis (Leucocoryne spp.), terciopelos, lilies and suspiros de campo (Nolana paradoxa ssp).

Volcán Ojos del Salado.
(Región de Atacama)

Ojos del Salado Volcano.
(Atacama Region)

El volcán Ojos del Salado (6.893 m.) es el monte más alto de Chile y el segundo del continente americano después del Aconcagua, es también el volcán más alto del mundo. Forma parte de un macizo donde también sobresalen otras grandes cumbres, como el Nevado de Tres Cruces (6.749 m.), Incahuasi (6.615 m.), El Muerto (6.470 m.) y El Ermitaño (6.140 m.). A los pies de estas montañas, a 4.726 metros sobre el nivel del mar, se ubica el Paso San Francisco, por donde ingresó a Chile el primer conquistador español, Diego de Almagro, en 1536, sufriendo grandes penurias a causa del frío.
El Ojos del Salado es uno de los 45 volcanes activos que existen en Chile (los que constituyen el 10% del total mundial) y que forman parte del Cordón de Fuego del Pacífico.

The Ojos del Salado volcano, with its 6,893 metres, is the highest peak in Chile and the second highest in America after the Aconcagua. It is also the highest volcano in the world. It forms part of a range which includes other high peaks, such as the Nevado de Tres Cruces (6,749 m.), Incahuasi (6,615 m.), El Muerto (6,470 m.) and El Ermitaño (6,140 m.). The San Francisco pass, along which the first Spanish conquistador, Diego de Almagro in entered Chile in 1536, undergoing tremendous hardships because of the cold, runs along the feet of these mountains, at an altitude of 4,726 metres above sea level.
The Ojos del Salado is one of the 45 active volcanoes existing in Chile (which together account for 10% of the world total) and which form part of the Pacific Cordon of Fire.

Río Juncalito.
(Región de Atacama)

Juncalito River.
(Atacama Region)

Bahía Inglesa.
(Región de Atacama)

Bahia Inglesa Beach.
(Atacama Region)

El Parque Nacional Pan de Azúcar ocupa cerca de 44.000 hectáreas en el límite entre las Regiones de Atacama y Antofagasta. Posee un clima de tipo mediterráneo, con poca lluvia en invierno pero abundantes neblinas costeras, conocidas como camanchaca, que permiten la existencia de una rica flora y fauna. Las especies más connotadas de este lugar son los cactus, del tipo globosos y columnares, que alcanzan gran desarrollo debido a la humedad ocasionada por la cercanía del mar. En la costa viven lobos y nutrias de mar, y también pueden divisarse tropillas de guanacos. El Parque incluye además la Isla Pan de Azúcar, donde no se permite desembarcar debido a que es un lugar de nidificación del pingüino de Humboldt.

The Pan de Azucar National Park extends nearly 44,000 hectares on the borders between the regions of Atacama and Antofagasta. It has a Mediterranean climate with very little rainfall in winter but abundant sea mist, known as Camanchaca, which allows for a wealth of flora and wildlife to exist. The most prominent species are its tall and corpuscular cactus, which thrive here thanks to the humidity that comes from being so close to the sea. The coastal area is home to sea lions and otters, while small herds of guanacos can also be seen. The park also includes Sugarloaf Island, but visits to the island are not allowed as it is a nesting place for the Humboldt penguin.

Parque Nacional Pan de Azúcar.
(Región de Atacama)

Pan de Azucar National Park.
(Atacama Region)

Laguna Verde.
(Región de Atacama)

Laguna Verde.
(Atacama Region)

Chile es un país eminentemente montañoso, con no más de un 20% de superficie llana, y sus montañas albergan una gran riqueza minera, que representa cerca de un 23% del Producto Interno Bruto (PIB). Aun cuando no fue uno de los mejores proveedores de los metales que más buscaban los conquistadores españoles, el oro y la plata, el país mantiene su condición como mayor productor mundial de cobre, mineral que se reparte en grandes yacimientos ubicados en la zona centro y norte, como Chuquicamata, Radomiro Tomic, Escondida, El Abra, Collahuasi, Los Pelambres y El Teniente.
Chile fue también un gran productor de salitre y carbón, minerales que sin embargo han perdido su importancia de antaño.

Chile is essentially a mountainous country, with no more than 20% flat surface, and its mountains are home to a large mining industry that represents about 23% of Gross Domestic Product (GDP). Having been the top supplier of the metals that the Spanish Conquistadores were looking for - gold and silver -, the country still remains the largest cooper producer worldwide, an element that is distributed in large-scale deposits located in the centre and North, at places such as Chuquicamata, Radomiro Tomic, Escondida, El Abra, Collahuasi, Los Pelambres and El Teniente.
Chile was also an important producer of salt residue and coal, minerals that have since seen their heyday come and go.

Las lagunas que existen en el altiplano andino, ubicadas muchas de ellas en el Salar de Atacama, son el hábitat preferido de grandes cantidades de flamencos, que llegan atraídos por la abundancia de microalgas y microcrustáceos que constituyen la base de su alimentación. Estas aguas, de alto contenido salino y baja profundidad, son también terreno propicio para su reproducción. De las seis especies de flamencos que existen en el mundo, tres se pueden encontrar en estas lagunas. La especie más numerosa es el Flamenco Chileno, seguido por el Flamenco de James y el Flamenco Andino. Estas aves son migratorias y también habitan en Argentina y Bolivia.

The lagoons in the Andean Altiplano, many of which are to be found in the Salar de Atacama, are another favourite habitat of large numbers of flamingos, who come here attracted by the abundance of the micro-algae and micro-crustaceans that form their staple diet. These highly salty and shallow waters also constitute an ideal breeding ground for the birds. Of the six species of flamingo that exist in the world, 3 can be found in these lagoons. The most common species is the Chilean flamingo, followed by the James flamingo and the Andean flamingo. These birds are migratory and also inhabit areas of Argentina and Bolivia.

Laguna Negro Francisco.
(Región de Atacama)

*Negro Francisco Lagoon.
(Atacama Region)*

Desembocadura del río Limarí.
(Región de Coquimbo)

Mouth of the Limari River.
(Coquimbo Region)

Debido al abundante sol y las limitadas lluvias en el norte de Chile, gran parte de su agricultura se sustenta en los ríos que bajan de la Cordillera de los Andes. Uno de los más importantes, ubicado en la Región de Coquimbo, es el Elqui, que da vida a una cuenca hidrográfica cercana a los 10.000 kilómetros cuadrados, donde se cultivan productos de alta calidad. Destaca entre ellos la uva, materia prima para la fabricación del pisco, el licor más representativo de la zona. También se cultivan naranjas, limones, chirimoyas, paltas, lúcumas y papayas. Estas últimas se producen en abundancia y son un verdadero símbolo de la región. Además de su fertilidad y verdor, que contrastan con las laderas de los cerros circundantes, el Valle del Elqui es famoso como centro aglutinador de energía y magnetismo para diversos grupos místicos, que se han radicado a lo largo de sus más de 70 kilómetros de recorrido desde la cordillera hasta el mar.

Due to the abundant sunshine and restricted rainfall in the north of Chile, a large part of its agriculture depends on the rivers that run down from the Andes Mountains. One of the most important rivers, in the Region of Coquimbo, is the Elqui, which feeds a delta basin nearly 10,000 square kilometres of farmlands for high-quality products. Prominent among these products is the grape, which is the raw material for producing Pisco, the most typical liqueur in the area. Other farm products include oranges, lemons, custard apples, avocados, eggfruits and papayas. These papayas are produced in large numbers and are the true symbol of the region. Apart from its lush and fertile lands that contrast with the sides of the surrounding hills, the Elqui Valley is famous as a gathering point of energy and magnetism for different mystic groups, who have settled on the river banks as it runs from the mountains to the sea over more than 70 km.

Valle de Elqui.
(Región de Coquimbo)

Valley of Elqui.
(Coquimbo Region)

Observatorio Cerro Tololo.
(Región de Coquimbo)

Cerro Tololo Observatory.
(Coquimbo Region)

Luego de internarse por cerca de 60 kilómetros en el Valle del Elqui, un desvío en el camino conduce hacia uno de los observatorios astronómicos más importantes de Chile, ubicado en el Cerro Tololo, a 2.200 metros sobre el nivel del mar. Éste es uno de los cinco grandes observatorios que existen en el norte del país: Cerro Paranal, Las Campanas, Cerro Tololo, Cerro Pachón y La Silla, a los que pronto debe sumarse el que está siendo instalado en el llano de Chajnantor, cerca de San Pedro de Atacama, en base al Proyecto ALMA (Atacama Large Millimeter Array). Una de las razones que explican la preferencia de los grandes observatorios por el norte de Chile reside en la alta proporción de días despejados y la escasa humedad en la atmósfera, en lo cual incide la corriente fría de Humboldt, que evita el exceso de evaporación del agua de mar y la consiguiente formación de nubes.

About 60 km further inland from the Elqui Valley, a turn off the main road leads up to one of the most important astronomy observatories in Chile, situated on Cerro Tololo at an altitude of 2,200 m above sea level. This is one of five great observatories that exist in the north of the country: Cerro Paranal, Las Campanas, Cerro Tololo, Cerro Pachon and La Silla, soon to be joined by a sixth installation currently under construction on the Chajnantor flats near San Pedro de Atacama, as part of the ALMA (Atacama Large Millimeter Array) project. One of the reasons which account for the north of Chile being chosen as a preferential area for large-scale observatories is the number of cloud-free days and the low humidity in the atmosphere, which is partly caused by the cold Humboldt Current that impedes seawater from evaporating too much and therefore creating clouds.

Parque Nacional Fray Jorge.
(Región de Coquimbo)

Fray Jorge National Park.
(Coquimbo Region)

El Parque Nacional Fray Jorge es una de las atracciones de más alto interés botánico en el norte de Chile, ya que, con un clima de tipo desértico costero, con precipitaciones que no superan los 113 mm. anuales, alberga especies propias del bosque valdiviano, como canelo, olivillo, tepa, arrayán y distintos tipos de helechos, cuyo hábitat natural está a más de 1.200 kilómetros hacia el sur, donde son alimentadas por más de 2.000 mm. de lluvias al año.

La razón de su supervivencia en el norte es la humedad adicional que aporta la camanchaca, o neblina costera, que se condensa en esta zona a causa del especial relieve del Parque, de cara al mar y sobre los 500 metros de altitud, en los cerros Altos de Talinay. Este Parque Nacional, que fue declarado Reserva Mundial de la Biosfera por la UNESCO en 1977, ocupa una superficie cercana a las 10.000 hectáreas y se ubica a 110 kilómetros de La Serena.

The Fray Jorge National Park is one of the attractions with the highest botanical interest in the north of Chile because, with its coastal desert climate and annual rainfall not exceeding 113 mm, it is home to native species of Valdivia Forest, such as the canelo, olivillo, tepa, arrayán, as well as different types of bracken, whose natural habitat is over 1,200 km further south, where they feed on more than 2,000 mm of rainfall per year.

The reason they are able to survive in the North is the additional humidity provided by the Camanchaca, or sea mist that condenses in this area because of the special geographical relief in the Park, which stretches from sea level to more than 500 m in altitude on the Talinay Heights. This National Park was declared part of the World Biosphere Reserve by UNESCO in 1977 and occupies a surface area nearly 10,000 hectares, situated 110 km from La Serena.

Playa Chungungo.
(Región de Coquimbo)

Chungungo Beach.
(Coquimbo Region)

Valle Río Grande, Tulahuen.
(Región de Coquimbo)

Rio Grande Valley.
(Coquimbo Region)

Cerros de Valparaíso.
(Región de Valparaíso)

Valparaíso Hills.
(Valparaíso Region)

Valparaíso es el principal puerto de Chile, condición que adquirió desde la época de la Colonia, en gran parte debido a su cercanía con la capital, Santiago, que se ubica a 120 kilómetros. Su mayor desarrollo se registró desde la primera mitad del siglo XIX, época en que se radicaron acá inmigrantes de diferentes países de Europa. Fueron principalmente ingleses, alemanes, franceses e italianos, atraídos por el floreciente comercio marítimo, quienes dejaron una permanente huella en su arquitectura. En Valparaíso, llamado en ese tiempo "la Joya del Pacífico", se fundaron la primera Bolsa de Valores, el primer Cuartel de Bomberos y el primer equipo de fútbol de Chile. Un atractivo especial de Valparaíso lo constituyen cerca de una docena de ascensores, que comunican el plan de la ciudad con la parte alta de los cerros. Un amplio sector, que incluye el casco histórico de la ciudad, además de los Cerros Alegre y Concepción, fue declarado en 2003 por la UNESCO como Patrimonio Cultural de la Humanidad.

Valparaiso is the main port of Chile since Colonial times, mainly due to the fact it is so near the capital, Santiago, which lies 120 km away. Its main boom period was the first half of the 19th century, when immigrants from different European countries settled here. They were mainly English, German, French and Italians, attracted by the growing sea trade, who were to leave a permanent stamp on the town's architecture. Valparaíso, known in those days as "the Jewel of the Pacific", was host to the foundation of the first Stock Exchange, the first Fire Station and Chile's first football team. A special attraction of Valparaíso were the nearly a dozen elevators that connected the flat part of the town with the high part in the hills. A large sector of the town, including the historical Centre and the hills of Cerros Alegre and Concepcion were declared in 2003 by UNESCO as part of the World Cultural Heritage.

Valparaíso.
(Región de Valparaíso)

Valparaiso.
(Valparaiso Region)

Cochoa, en la ruta de Viña del Mar a Concón.
(Región de Valparaíso)

Cochoa, between Viña del Mar and Concon.
(Valparaiso Region)

Valparaíso.
(Región de Valparaíso)

Valparaiso.
(Valparaiso Region)

Rano Raraku, Isla de Pascua.
(Región de Valparaíso)

Rano Raraku, Easter Island.
(Valparaiso Region)

En Isla de Pascua se creó en 1935 el Parque Nacional Rapa Nui, principalmente con fines de protección patrimonial, a lo que se sumó en 1995 su declaración como Patrimonio de la Humanidad por parte de la UNESCO, teniendo en cuenta el extraordinario valor que tiene la cultura originaria de la isla. Una parte importante de este legado cultural se encuentra en los aproximadamente 300 ahu, o plataformas ceremoniales, que se distribuyen en todo el perímetro de la isla, donde se levantan los famosos moai, cuyo número alcanza a cerca de 900. Uno de los centros ceremoniales más importantes se ubica en Orongo, junto al cráter del volcán Rano Kau, donde los isleños recibían cada año la primera oleada de las aves migratorias llamadas manutara. Además de ésta, nidifican en la isla otras aves marinas, como makohe, kena sula, kima y dactylatra. Junto a la isla se pueden encontrar 126 variedades de peces, además de otras especies, como corales, tortugas y crustáceos, que han motivado la creación de tres parques submarinos, destinados a preservar parte de esta riqueza natural.

The Rapa Nui national park was created on Easter Island in 1935, mainly with the aim of protecting the resources, followed in 1995 by its declaration as part of the World Heritage by UNESCO in recognition of the extraordinary value that the island's native culture has. A significant part of this cultural legacy is to be found in the approximately 300 Ahu or ceremonial platforms distributed around the island, where the famous Moai stand, of which there are nearly 900. One of the most important ceremonial centres is situated in Orongo, next to the crater of the Rano Kau volcano, where each year the islanders used to welcome the first wave of migrant birds called the Manutara. Apart from this species, other seabirds nest on the island, such as the Makohe, Kena Sula, Kima and Dactylatra. Around the island one can find up to 126 varieties of fish, as well as other species such as corals, tortoises and crustaceans, which has led to the creation of three underwater parks, aimed at preserving part of this natural wealth.

Tahai, Isla de Pascua.
(Región de Valparaíso)

Tahai, Easter Island.
(Valparaiso Region)

Ahu Nau-Nau, Anakena, Isla de Pascua.
(Región de Valparaíso)

Ahu Nau-Nau, Easter Island.
(Valparaiso Region)

El pueblo Rapa Nui ocupa una categoría especial dentro de las etnias chilenas, debido a que no está emparentado con las razas continentales, sino que proviene de una corriente de inmigración marítima, que llegó en tiempos remotos desde la Polinesia a ocupar Isla de Pascua, situada a 3.800 kilómetros de la costa americana. Su origen no está completamente establecido, pero las tradiciones orales de la isla permiten situar la llegada de los primeros colonizadores polinesios, guiados por el rey Hotu Matua, alrededor del siglo IV de nuestra era. Ellos dieron origen a una cultura megalítica única en el mundo, cuya expresión material más famosa es la existencia de cientos de estatuas de piedra volcánica llamadas moai, que son uno de los atractivos de mayor importancia científica y turística de este alejado territorio insular chileno.

The Rapa Nui tribe hold a special place within Chilean ethnic groups, due to the fact that they are not related to Continental races but rather are the descendants of ocean immigrants that arrived in far-off times from Polynesia to occupy Easter Island, situated at 3,800 kilometres from the American coast. Their origins are not fully established, but traditional songs on the island would suggest that the first Polynesian colonizers arrived under King Hotu Matua in the 4th century AD. They created a unique megalithic culture in the world, the most famous material expression of which is the existence of hundreds of volcanic stone statues called Moai, which are one of the main scientific and tourist attractions in this remote Chilean island.

Playa Anakena, Isla de Pascua.
(Región de Valparaíso)

Anakena Beach, Easter Island.
(Valparaiso Region)

La isla Robinson Crusoe, que forma parte del Archipiélago Juan Fernández, recibe este nombre debido a la novela publicada en 1719 por el escritor Daniel Defoe, quien se inspiró en la historia verídica del marinero escocés Alexander Selkirk, abandonado aquí en 1705 por un navío británico. Selkirk vivió en esta isla en completa soledad durante cuatro años, hasta ser rescatado y devuelto a su patria en 1709. El archipiélago, declarado Reserva Mundial de la Biosfera por la UNESCO en 1977, tiene un alto interés botánico, debido a que posee una de las tasas de endemismo más altas del planeta. De las 215 especies nativas contabilizadas en la flora local, 130 son exclusivas de este lugar. Uno de los grupos vegetales más expandidos es el de los helechos, que cuenta 54 especies.

Robinson Crusoe Island, which forms part of the Juan Fernandez Archipelago, takes its name from Daniel Defoe's novel published in 1719, which was inspired on the true story of the Scottish sailor, Alexander Selkirk, who was abandoned here in 1705 by a British warship. Selkirk lived completely alone on the island for four years, until he was rescued and returned home in 1709. The Archipelago, declared part of the World Biosphere Reserve by UNESCO in 1977, holds extraordinary botanical interest thanks to one of the highest rates of exclusive endemic species in the world. Of the 215 native species accounted for in local flora, 130 are exclusive to this place. One of the most widespread plants is fern or bracken, of which there are over 54 species here.

Isla Robinson Crusoe.
(Región de Valparaíso)

Robinson Crusoe Island.
(Valparaiso Region)

Palacio Presidencial La Moneda, Santiago.
(Región Metropolitana)

Presidential Palace, "La Moneda".
(Metropolitan Region)

Cuenta la Historia de Chile que uno de los principales atractivos de Santiago, el Cerro Santa Lucía –llamado en ese entonces Huelén– fue determinante en la elección de este lugar, en el Valle del Río Mapocho, para la fundación de su capital, debido a la protección que ofrecía contra los indígenas hostiles. La nueva ciudad, llamada Santiago del Nuevo Extremo, fue fundada por el conquistador español Pedro de Valdivia el 12 de febrero de 1541. Estaba conformada inicialmente por ocho cuadras de norte a sur y diez de este a oeste, y su población era de 150 habitantes. Hoy, Santiago se extiende por sobre 70.000 hectáreas y cobija a más de 6,5 millones de personas, que representan el 40% de la población del país.

The History of Chile tells how one of the main attractions of Santiago, the Santa Lucia Hill –known in those days as Huelen– was a determining factor in choosing this spot in the River Mapocho Valley to found the capital, thanks to the protection it afforded from hostile natives. The new city, called Santiago del Nuevo Extremo, was founded by the Spanish conquistador Pedro de Valdivia on 12 February 1541. Initially it comprised eight blocks from north to south and ten from east to west, with a population of 150 inhabitants. Today, Santiago stretches over 70,000 hectares and is home to more than 6.5 million people that account for 40% of the national population.

Santiago.
(Región Metropolitana)

Santiago.
(Metropolitan Region)

Centro de Esquí El Colorado.
(Región Metropolitana)

El Colorado Ski Center.
(Metropolitan Region)

Un rasgo distintivo de la capital de Chile lo aporta la imponente Cordillera de los Andes, que se levanta desde los mismos límites de la ciudad, brindando una oportunidad sin igual para la vida al aire libre y la práctica de los deportes de montaña. Por el norte, un escenario ideal para los amantes del trekking es el Estero El Arrayán, mientras que el ascenso a los cerros Manquehue y Provincia ofrece una vista privilegiada sobre la ciudad. Internándose en el Cajón del Río Mapocho se llega a prestigiosos centros de esquí, como Farellones, La Parva, El Colorado y Valle Nevado. Para los deportistas de alta montaña, el Santuario Yerba Loca da acceso a los cerros Altar (5.180 m.) y La Paloma (4.910 m.). Por el sur, el Cajón del Río Maipo constituye un gran centro para la práctica del rafting y también del andinismo, con numerosas cumbres sobre los 4.000 y 5.000 metros, donde destacan las del Monumento Natural El Morado.

A distinctive feature of the capital of Chile are the imposing Andes Mountains, which rise from the very limits of the city, offering unequalled opportunities for open air activities and mountain-based sports. In the north, an ideal setting for trekking fans is the Arrayan Estuary, while going up the Manquehue and Provincia hills offers an outstanding view over the city. Following the River Mapocho canyon, one reaches prestigious ski resorts, such as Farellones, La Parva, El Colorado and Valle Nevado. For mountaineering enthusiasts, the Yerba Loca sanctuary is the access route to the Altar (5,180 m.) and La Paloma (4,910 m.) peaks. In the south, the River Maipo Valley is an important centre for rafting and also mountaineering, with numerous peaks of over 4,000 and 5,000 metres, of which the most significant are found in the El Morado Natural Monument.

Glaciar El Morado.
(Región Metropolitana)

El Morado Glacier.
(Metropolitan Region)

Río Maipo.
(Región Metropolitana)

Maipo River.
(Metropolitan Region)

Lo Valdés, Volcán San José.
(Región Metropolitana)

Lo Valdes, San Jose Volcano.
(Metropolitan Region)

Quiscos en Topocalma.
(Región del Libertador General Bernardo O´Higgins)

Quiscos (Echinopsis chilensis), Topocalma.
(Libertador General Bernardo O´Higgins Region)

Topocalma.
(Región del Libertador General Bernardo O´Higgins)

Topocalma.
(Libertador General Bernardo O´Higgins Region)

Palmas de Cocalán.
(Región del Libertador General Bernardo O´Higgins)

Chilean palms, Cocalan.
(Libertador General Bernardo O´Higgins Region)

Uno de los productos de exportación más famosos de Chile es la fruta, reconocida en amplias regiones del mundo por su altísima calidad, debida a las especiales condiciones del clima, templado y con abundante sol. En el norte del país, que es eminentemente seco, existen oasis famosos por sus viñedos y la producción de chirimoyas, lúcumas, mangos y cítricos. También existen campos de cultivo importantes en las cuencas de los ríos Elqui y Limarí, y en el centro en el gran valle del Aconcagua. En la zona central destaca además la producción de paltas, duraznos, damascos, sandías, melones, peras y manzanas, y más al sur las ciruelas, frutillas y frambuesas. Cada verano, entre los meses de diciembre y marzo, los puertos chilenos experimentan un periodo de especial actividad, embarcando la fruta fresca de la temporada hacia los más exigentes mercados mundiales, en Estados Unidos, la Unión Europea y Asia.

Quinta de Tilcoco.
(Región del Libertador General Bernardo O´Higgins)

Tilcoco Manor.
(Libertador General Bernardo O´Higgins Region)

One of the most famous Chilean export products is fruit, acknowledged across the world for its high quality, thanks to the special weather conditions in the country, which afford warmth and plentiful sunshine. In the North, which is essentially dry, there are oases renowned for their vineyards and the custard apples, eggfruits, mangos and citrus fruit they produce. Large-scale orchards are scattered across the deltas of the rivers Elqui and Limarí and in the Midlands, in the great Aconcagua valley. The Midlands or central area are also renowned for their production of avocado, peaches, apricots, watermelons, melons, pears and apples, and further South, plums, strawberries and raspberries. Each summer, between December and March, Chilean ports are especially busy loading seasonal fresh fruit bound for the most demanding world markets in the United States, the European Union and Asia.

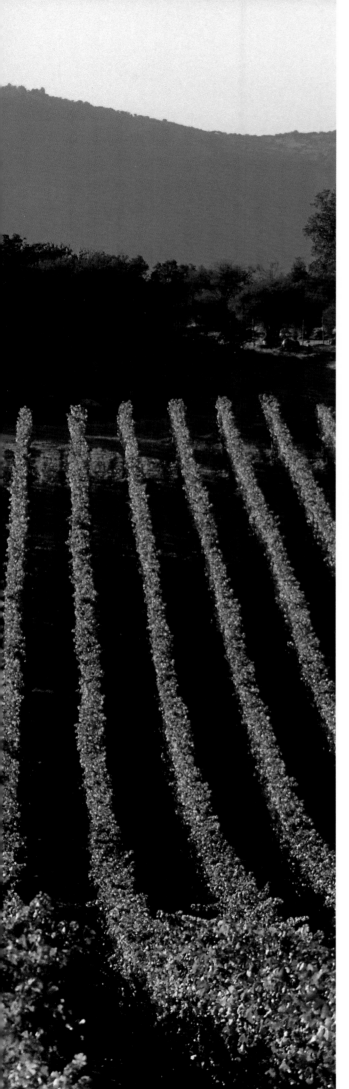

El benigno clima del norte y centro de Chile, que favorece la producción de distintos tipos de fruta, ha permitido en Chile el desarrollo de una industria vitivinícola de renombre mundial. Su origen se remonta a la Colonia, con la introducción de las primeras vides por parte de los conquistadores españoles, en el siglo XVI, las que se enriquecieron posteriormente, durante el siglo XIX, con la importación de nuevas variedades, tales como Cabernet-Sauvignon, Cot, Merlot, Pinot, Sauvignon, Riesling y Chardonnay.

The mild climate in the north and centre of the country that stimulates the production of different types of fruit has also enabled a wine industry of worldwide renown to be developed in Chile. Its origins go back to Colonial times, following the introduction of the first vines by Spanish conquistadores in the 16th century, those that later, in the 19th century, were enriched by adding new varieties of imported grapes such as Cabernet-Sauvignon, Cot, Merlot, Pinot, Sauvignon, Riesling and Chardonnay.

Viñedos.
(Región del Libertador General Bernardo O´Higgins)

Vineyards.
(Libertador General Bernardo O´Higgins Region)

Valle del Maule.
(Región del Maule)

Maule Valley.
(Maule Region)

Volcán Campanario.
(Región del Maule)

Campanario Volcano.
(Maule Region)

Constitución.
(Región del Maule)

Constitucion.
(Maule Region)

Campos al Norte de Cauquenes.
(Región del Maule)

Fields, north of Cauquenes.
(Maule Region)

Reserva Nacional Radal Siete Tazas.
(Región del Maule)

Radal Siete Tazas National Reserve.
(Maule Region)

Laguna del Maule.
(Región del Maule)

Maule Lagoon.
(Maule Region)

Laguna Las Ánimas.
(Región del Maule)

Las Animas Lagoon.
(Maule Region)

Volcán Chillán.
(Región del Biobío)

Chillan Volcano.
(Biobio Region)

Centro de Esquí Termas de Chillán.
(Región del Biobío)

Termas de Chillan Ski Centre.
(Maule Region)

Merquiche.
(Región del Biobío)

Merquiche.
(Biobio Region)

Río Ñuble.
(Región del Biobío)

Ñuble River.
(Biobio Region)

Desembocadura del río Biobío.
(Región del Biobío)

Mouth of the Biobio River.
(Biobio Region)

El río Biobío, que durante la Colonia marcó la frontera entre el territorio dominado por los españoles (al norte) y los mapuches (al sur), posee una de las cuencas hidrográficas más grandes
del país, cerca de 24.000 kilómetros cuadrados. Nace muy arriba en la cordillera, de las lagunas
Icalma y Galletué, y parte describiendo un gran arco de 200 kilómetros hacia el norte, para
luego transcurrir durante los siguientes 180 kilómetros entre fértiles campos agrícolas y forestales, hasta llegar a su desembocadura junto a la ciudad de Concepción. En su parte alta, el río
Biobío es un destacado centro para la práctica del montañismo, trekking y turismo ecuestre,
pero donde sobresale verdaderamente a nivel internacional es en el rafting, deporte en el cual
ostenta categoría V, para su descenso en balsa o kayak.

The River Biobio, which during the Colonial period marked the border between the territory held by
the Spanish (to the north) and the Mapuches (to the south), possesses one of the largest deltas in
the country, nearly 24,000 square kilometres. The source is found very high up in the mountains at
the Icalma and Galletue lagoons, from where it runs down forming a large 200 km bow towards
the north before crossing 180 km of fertile farming and forest land to reach the sea at the city of
Concepcion. In its higher part, the River Biobio is a prominent centre for mountaineering, rambling
and equestrian sports, but on the international level what is most outstanding is rafting, for which it
has a Category V rating for descents on rafts or kayaks.

Campos en Ninhue.
(Región del Biobío)

Fields in Ninhue.
(Biobio Region)

Rehue en Santa María, Lago Budi.
(Región de la Araucanía)

Rehue, Santa Maria, Budi Lake.
(Araucania Region)

Cuando los primeros conquistadores españoles llegaron a Chile, los mapuches –también cono-cidos como araucanos– habitaban exclusivamente la zona ubicada entre los ríos Itata y Toltén, aunque estaban emparentados con grupos étnicos que residían al norte, al sur y en la precordi-llera de esta región. En su idioma los llamaban picunches (gentes del norte), huilliches (gentes del sur) y pehuenches (gentes del pehuén, o araucarias).

Este pueblo se hizo famoso por la incansable defensa que hicieron de su territorio a lo largo de los siglos, una guerra que siguió vigente luego de la independencia de España y la instau-ración de la República. La pacificación de esta zona se oficializó en 1883, con la refundación de Villarrica, si bien los últimos alzamientos masivos se registraron aún en 1891. Los mapuches siguen siendo numerosos en las zonas rurales de la Región de la Araucanía, cuya capital es la ciudad de Temuco.

When the first Spanish conquistadors arrived in Chile, the Mapuches –also known as the Araucano Indians– inhabited exclusively the area between the rivers Itata and Tolten, although they were re-lated to ethnical groups residing to the north, to the south and in the foothills in the region. In their language, they called these peoples Picunches (people from the North), Huilliches (people from the South) and Pehuenches (people from Pehuen, or Araucarias).

This tribe became famous for the untiring defence of their territory over the centuries, a war which continued after independence from Spain and the installation of the Republic. Pacification of the area became official in 1883 with the re-foundation of Villarrica, although the last massive uprisings continued until 1891. The Mapuches are still numerous in rural areas in the Araucania region, the capital of which is the city of Temuco.

Sector Los Paraguas en el Parque Nacional Conguillío.
(Región de la Araucanía)

Los Paraguas area, Conguillio National Park.
(Araucania Region)

Pucón.
(Región de la Araucanía)

Pucon
(Araucania Region)

Los bosques del sur de Chile son prolíficos en especies de gran longevidad, como el coigüe, mañío, tepa y raulí, cuyos ejemplares, de cientos de años, cubren los faldeos de la Cordillera de los Andes, con mayor densidad hacia el sur del río Biobío. La especie que alcanza mayor edad es el alerce, del que se han detectado ejemplares de 4.000 años, es decir, que ya estaban en pie mientras se construían las pirámides en el Antiguo Egipto. Estos árboles se yerguen en la Cordillera de la Costa, entre Valdivia y Chiloé, y en el macizo principal de la Cordillera de los Andes, entre el Seno de Reloncaví y la provincia de Palena. Un poco más jóvenes –sólo de los tiempos de Jesucristo– son las araucarias, cuya figura es el emblema de los Parques Nacionales de Chile. Otra especie que alcanza gran longevidad y extensión en el sur del país es el Ciprés de las Guaitecas, que se distribuye desde la cordillera de Valdivia hasta Tierra del Fuego.

The forests of southern Chile are prolific in long-standing species such as the coigüe, mañío, tepa and rauli, examples of which are hundreds of years old and cover the apron of the Andes Mountains, with greater density south of the River Biobio. The species that reaches the highest age is the alerce, of which some examples more than 4,000 years old have been found, i.e. they were standing while the pyramids of ancient Egypt were being built. These trees stand in the Coastal Mountains between Valdivia and Chiloe, as well as in the main range of the Andes Mountains between Seno de Reloncavi and the province of Palena. Araucarias are somewhat younger - only dating back to the times of Jesus Christ. The figure of an araucaria tree serves as the emblem of Chile's National Parks. Another long-lasting widespread species in the south of the country is the Guaiteca Cypress, which is distributed from the Valdivia Mountains to Tierra del Fuego.

Araucarias, volcán Lanin.
(Región de la Araucanía)

Araucarias trees, Lanin Volcano.
(Araucania Region)

Lago Panguipulli y Volcán Villarrica.
(Región de Los Ríos)

Panguipulli Lake and Villarrica Volcano.
(Los Rios Region)

Valle del río Rupameica.
(Región de Los Ríos)

Rupameica River Valley.
(Los Ríos Region)

Caleta Bonifacio.
(Región de Los Ríos)

Bonifacio Cove.
(Los Rios Region)

Lago Pullinque y Volcán Villarrica.
(Región de Los Ríos)

Pullinque Lake and Villarrica Volcano.
(Los Rios Region)

Río Futaleufú.
(Región de Los Lagos)
Futaleufu River.
(Los Lagos Region)

Sus más de 4.200 kilómetros de costas, y sus 4,5 millones de kilómetros cuadrados de Zona Económica Exclusiva y plataforma continental, otorgan a Chile una posición de privilegio en cuanto a recursos del mar, donde destaca una amplísima variedad de peces, como merluzas, corvinas, congrios, jureles y albacoras; junto a crustáceos y moluscos, como langostas, centollas, ostras, almejas, machas, erizos y choros.
Las últimas décadas también han visto un notorio aumento de la acuicultura, especialmente en el sur, donde sobresale la crianza del salmón, uno de los principales productos de exportación en la actualidad.

With a coastline over 4,200 km. long and 4.5 million square kilometres of Exclusive Economic Area and continental shelf, Chile has a privileged position in terms of sea resources. A wide variety of fish, such as hake, maigre, conger, horse mackerel and swordfish abound, as do crustaceans and molluscs, such as lobsters, king crabs, oysters, clams, sea urchins and mussels.
In the last decades, fish-farming has also grown significantly, especially in the South, where salmon breeding, currently one of the main export products, is a highlight.

Estaquilla.
(Región de Los Lagos)
Estaquilla.
(Los Lagos Region)

Puerto Octay.
(Región de Los Lagos)

Puerto Octay.
(Los Lagos Region)

Una parte importante de la población de Chile, especialmente en el campo, es fruto del mestizaje entre españoles y aborígenes, aunque también considera el aporte de distintos países de Europa.

Durante el dominio español, los grupos más importantes fueron castellanos, andaluces y vascos, pero luego de la Independencia, en 1818, el comercio atrajo a personas de numerosas nacionalidades.

Durante los siglos XIX y XX se produjo una importante inmigración de ciudadanos ingleses, franceses, italianos y palestinos, que aportaron a la sociedad chilena sus costumbres y estilos de vida. Los croatas se incorporaron de forma más tardía y se establecieron principalmente en el Norte Grande y la Región de Magallanes. Los alemanes llegaron a Chile desde mediados del siglo XIX, a poblar la zona sur del país, donde fueron parte importante en el surgimiento de ciudades y pueblos como Valdivia, Osorno, Puerto Montt, Frutillar, Puerto Octay, La Unión y Purranque, donde impulsaron la agricultura, ganadería y la industria lechera.

A large portion of Chile's population, especially in rural areas, is the result of miscegenation between Spaniards and native inhabitants, although immigrants from other European countries also account for a significant number.

During the times of Spanish occupation, the most important social groups were Castillians, Andalusians and Basques, but following Independence in 1818, trading relations brought in people from a multitude of nations.

During the 19th and 20th centuries, a significant number of British, French, Italians and Palestinians immigrated to Chile, bringing with them their different customs and lifestyles. Croatians arrived somewhat later and settled mainly in the Grand North and Magellan Region. Germans arrived in Chile in the mid 19th Century and settled in the southern part of the country, where they took an active part in the uprising of cities and towns such as Valdivia, Osorno, Puerto Montt, Frutillar, Puerto Octay, La Union and Purranque, apart from boosting agriculture, cattle rearing and the dairy industry.

Volcán Osorno.
(Región de Los Lagos)

Osorno Volcano.
(Los Lagos Region)

Castro.
(Chiloé, Región de Los Lagos)

Castro.
(Chiloe, Los Lagos Region)

Al llegar a la ciudad de Puerto Montt, el valle central de Chile se interrumpe y da paso a la zona de Chiloé, que se compone de aproximadamente 40 islas y un mar interior que es campo propicio para el desarrollo de la pesca y la acuicultura, que son actualmente los principales sustentos de la gente de esta región. La mayor parte de la población se concentra en la Isla Grande de Chiloé, la que, debido a su carácter insular, ha desarrollado una cultura propia que abarca el lenguaje, la música, la cocina y la arquitectura, junto a numerosos mitos y leyendas que ocupan un lugar destacado dentro del folclor nacional.

As one reaches the city of Puerto Montt, the central valley of Chile is interrupted and leads to the area of Chiloe, which comprises approximately 40 islands and an inner sea which is especially suitable for angling and fish farming, which nowadays are the main source of living for the people of this region. Most of the population is concentrated on the Grand Island of Chiloe, which, being an island, has developed its own culture that includes the language, music, gastronomy and architecture, as well as numerous myths and legends that hold a place of prominence in national folklore.

Mechuque.
(Chiloé, Región de Los Lagos)

Mechuque.
(Chiloe, Los Lagos Region)

Quinchao.
(Chiloé, Región de Los Lagos)

Quinchao.
(Chiloe, Los Lagos Region)

La tradición católica ha ejercido una fuerte influencia en todo el territorio de Chiloé, al punto que cada núcleo poblacional de cierta importancia cuenta con una iglesia, construida según normas arquitectónicas que no han variado con el paso de los siglos. Quinchao, Aldachildo, Castro, Chonchi, Achao y Curaco de Vélez son sólo algunas de las 16, sobre un total cercano a las 150, que poseen la condición de Patrimonio de la Humanidad otorgada por la UNESCO, debido a su alto valor cultural. Todos los años se desarrollan en ellas fiestas religiosas que atraen gente de todas las islas, además de visitantes de otras regiones del país y del extranjero.

Catholicism has played a strongly influential role throughout the territory of Chiloe, to such an extent that each village of any importance has its own church, built to architectural standards that have not varied over the centuries. Quinchao, Aldachildo, Castro, Chonchi, Achao and Curaco de Velez are just some of the 16 churches that have been designated by UNESCO as part of the world Heritage because of their high cultural value among the total 150 churches in Chiloe. Every year religious feasts are held in the churches that attract people from all the islands, as well as visitors from other regions of Chile and from abroad.

Aldachildo.
(Chiloé, Región de Los Lagos)

Aldachildo.
(Chiloe, Los Lagos Region)

Río San Lorenzo.
(Región Aisén del General Carlos Ibáñez del Campo)

San Lorenzo River.
(Aisen Region)

El territorio de Chile fue poblado hasta la Isla Grande de Chiloé por tribus que exhibían distintos grados de desarrollo, con conocimientos de alfarería, tejidos, metalurgia y horticultura, pero en toda la zona del gran archipiélago austral habitaban razas más primitivas, que se vestían con pieles y vivían principalmente de la pesca, caza y recolección. Hasta el Golfo de Penas se distribuían los chonos y hacia el sur de ese punto los kaweskar, también llamados alacalufes, mientras que los canales del extremo sur eran ocupados por los yaganes, o yámanas. Todos ellos llevaban una vida nómada en canoas, a diferencia de los selk'nam, conocidos también como onas, que se distribuían en la Isla Grande de Tierra del Fuego. Estos últimos eran de mayor estatura y se desplazaban a pie, cazando aves y guanacos.

The territory of Chile was populated as far as Grand Chiloe Island by tribes with different degrees of development and knowledge of pottery, weaving, metallurgy and horticulture, but the area of the huge Southern Archipelago was inhabited by more primitive races, dressed in animal furs that lived mainly from fishing, hunting and fruit collecting. The Chonos were distributed as far as the Gulf of Penas, while further south was the territory of the Kaweskar, also known as Alacalufes, while the channels of the extreme south were occupied by Yaganes or Yamanas. All these peoples led a nomadic life on canoes, unlike the Selk'nam, also known as Onas, that were spread around the Grand Island of Tierra del Fuego. The Onas were taller in height and moved around on foot, hunting birds and Guanacos.

Caleta Tortel.
(Región Aisén del General Carlos Ibáñez del Campo)

Tortel Core.
(Aisen Region)

Bahía Murta, Lago General Carrera.
(Región Aisén del General Carlos Ibáñez del Campo)

*Bahia Murta, General Carrera Lake.
(Aisen Region)*

Capilla de Mármol.
(Región Aisén del General Carlos Ibáñez del Campo)

*The Marble Chapel.
(Aisen Region)*

Lago y Glaciar Leones.
(Región Aisén del General Carlos Ibáñez del Campo)

Leones Glacier and Lake.
(Aisen Region)

La presencia de glaciares es un fenómeno frecuente en toda la Cordillera de los Andes, si bien este fenómeno alcanza su mayor desarrollo desde la Región de Aisén hasta el extremo austral del país, donde se encuentran los Campos de Hielo Patagónicos Norte y Sur, comparables sólo a los que existen en Alaska o Groenlandia. Éstos se caracterizan por dos enormes mesetas heladas, con innumerables glaciares que se descuelgan directamente al mar en su vertiente occidental, o en los grandes lagos del lado oriental. El fenómeno del calentamiento global ha afectado fuertemente la extensión de estos glaciares, cuyos frentes han retrocedido notoriamente en las últimas décadas, con la notable excepción del Glaciar Pío XI, que ha avanzado cerca de 10 kilómetros desde el año 1945.

Glaciers are a frequent phenomenon throughout the Andes Mountains, although they reach their maximum expression in the area between the Region of Aisen and the southernmost tip of the country, where the Northern and Southern Patagonian Ice Fields are found, comparable only to those in Alaska and Greenland. They are characterised by two enormous frozen plains, with innumerable glaciers that slide directly down the western face into the sea or down the eastern side into the great lakes. Global warming has seriously affected the extension of these glaciers, whose faces have withdrawn notably in recent decades, with the significant exception of the Pius XI Glacier, which has advanced nearly 10 km since 1945.

Glaciar de la laguna San Rafael.
(Región Aisén del General Carlos Ibáñez del Campo)

Glacier, San Rafael Lagoon.
(Aisen Region)

Hielo Patagónico Sur, Macizo Fitz Roy.
(Región Aisén del General Carlos Ibáñez del Campo)

Southern Patagonian Ice Field, Fitz Roy Massif.
(Aisen Region)

Hielo Patagónico Norte.
(Región Aisén del General Carlos Ibáñez del Campo)

Northern Patagonian Ice Field.
(Aisen Region)

Parque Nacional Torres del Paine.
(Región de Magallanes y de la Antártica Chilena)

Torres del Paine National Park.
(Magellan and Chilean Antarctica Region)

Cuernos del Paine, Parque Nacional Torres del Paine.
(Región de Magallanes y de la Antártica Chilena)

The Horns, Torres del Paine National Park.
(Magellan and Chilean Antarctica Region)

El Parque Nacional Torres del Paine es uno de los mayores atractivos de la zona austral de Chile, debido al escarpado y peculiar relieve de sus montañas, que cautivan tanto por su valor paisajístico como por el desafío que impone a los mejores escaladores del mundo. Al mismo tiempo, es un refugio que alberga a las especies más emblemáticas de la fauna de esta zona, donde destacan los cóndores andinos, ñandúes, pumas, zorros y guanacos. El Parque posee numerosos circuitos de trekking, como los que dan acceso a los glaciares Pingo y Grey, que vierten sus témpanos en los lagos de igual nombre; o el que remonta el Valle del Francés, cuyo término es un anfiteatro de gran belleza escénica, rodeado de impresionantes cumbres. El Parque Nacional Torres del Paine, declarado Reserva de la Biosfera por la UNESCO en 1978, tiene una extensión de cerca de 181.500 hectáreas y se ubica a 370 kilómetros de Punta Arenas, capital de la Región de Magallanes y de la Antártica Chilena.

Torres del Paine, Parque Nacional Torres del Paine.
(Región de Magallanes y de la Antártica Chilena)

The Towers, Torres del Paine National Park.
(Magellan and Chilean Antarctica Region)

The Torres del Paine National Park is one of the greatest attractions in the south of Chile, thanks to the original sculptured relief of its mountains, which are captivating both for their landscape beauty and for the challenge they represent for mountaineers from across the world. At the same time, it is a shelter for the most emblematic species of wildlife in this area, of which Andean condors, ñandues, pumas, foxes and guanacos are highlights. The Park possesses numerous trekking circuits, such as those that lead to the Pingo and Grey glaciers, which deliver their ice floes into lakes bearing the same name; or routes that run through the French Valley, the end of which is an amphitheatre of extraordinary beauty, surrounded by the most impressive mountain peaks. The Torres del Paine National Park, declared part of the World Biosphere Reserve by UNESCO in 1978, extends over nearly 181,500 hectares and is situated 370 km from Punta Arenas, capital of the Magellan and Chilean Antarctica Region.

Guanacos en el Parque Nacional Torres del Paine.
(Región de Magallanes y de la Antártica Chilena)

Guanacos, Torres del Paine National Park.
(Magellan and Chilean Antarctica Region)

Lago y Glaciar Tyndall, Parque Nacional Torres del Paine.
(Región de Magallanes y de la Antártica Chilena)

Tyndall Lake and Glacier, Torres del Paine National Park.
(Magellan and Chilean Antarctica Region)

Tierra del Fuego.
(Región de Magallanes y de la Antártica Chilena)

Tierra del Fuego.
(Magellan and Chilean Antarctica Region)

El Estrecho de Magallanes fue descubierto en 1520 por el navegante Hernando de Magalla-nes, a quien debe su nombre. A pesar de su relevancia como vía de comunicación entre los océanos Atlántico y Pacífico, no fue ocupado de manera regular debido al riguroso clima de la zona y los consiguientes riesgos para la navegación a vela. Esta situación cambió a partir de la ocupación efectiva por parte del Gobierno chileno, en 1843, y el establecimiento del primer núcleo poblacional destinado a perdurar, que con los años se transformó en la actual ciudad de Punta Arenas, la más austral del territorio continental americano. La seguridad de la nave-gación en este paso está reforzada hoy en día por una veintena de faros, algunos de los cuales se cuentan entre los más antiguos de Chile, como San Isidro, Espíritu Santo, Punta Dungeness, Cabo Posesión, Bahía Félix y Evangelistas.

The Magellan Straits, an important sea route between the Pacific and Atlantic oceans, was discove-red in 1520 by the navigator Hernando de Magellan, after whom it is named. Despite its relevance as a sea passage between both oceans, it was not permanently occupied because of the harsh climate in the area and the subsequent risks for sailing boats. This situation changed following its effective occupation by the Chilean government and the establishment of the first town in 1843, which was to last through the years to become today's city of Punta Arenas, the southernmost settlement on mainland America. Navigational safety through the Straits nowadays is strengthened by means of about 20 lighthouses, some of which are amongst the oldest in Chile, such as San Isidro, Espiritu Santo, Punta Dungeness, Cabo Posesion, Bahia Felix and Evangelistas.

Cabo de Hornos.
(Región de Magallanes y de la Antártica Chilena)

Cape Horn.
(Magellan and Chilean Antarctica Region)

El Cabo de Hornos es el lugar más remoto del gran archipiélago austral, un peñón de 425 metros de altura que se alza como la antesala del Mar de Drake y la Antártica. Fue descubierto en 1616 por el capitán holandés Willem Schouten y su nombre se extendió también al paso situado al sur de este punto, como vía natural de comunicación entre los Océanos Pacífico y Atlántico. Sus tormentosas aguas lo han hecho merecedor del respeto de todos los navegantes, que siguen considerándolo uno de los grandes desafíos de esta zona. Cuenta actualmente con una dotación permanente de la Armada de Chile, que mantiene un faro y una radioestación naval. Es parte del Parque Nacional Cabo de Hornos, que ocupa cerca de 63.000 hectáreas en el Archipiélago Wollaston.

Cape Horn is the most remote place in the great Southern Archipelago, a 425 m high rock that stands as the antechamber to Drake's Sea and the Antarctica. It was discovered in 1616 by the Dutch captain Willem Schouten and its name was extended to include the passage south of the headland, as a natural sea route between the Pacific and Atlantic oceans. Its turbulent waters have gained for it the highest respect of all sailors, who continue to consider it one of the great challenges in this area. Nowadays a permanent detachment of the Chilean Navy is stationed here, who maintain a lighthouse and the naval radio station. It is part of the Cape Horn National Park, which occupies nearly 63,000 hectares in Wollaston Archipelago.

Base General Bernardo O´Higgins, Antártica.
(Región de Magallanes y de la Antártica Chilena)

General Bernardo O´Higgins Antarctic Base.
(Magellan and Chilean Antarctica Region)

Luego de su Independencia, la República de Chile heredó los mismos territorios que la Corona Española había puesto bajo el dominio de su antigua colonia, situación que incluyó también a la Antártica, que formaba parte de la Gobernación de Chile. El Territorio Chileno Antártico es la continuación natural de Chile continental y sus límites fueron precisados con el Decreto N° 1747 de 1940, como el sector comprendido entre los meridianos 53° y 90° W. Chile participa en el Tratado Antártico, suscrito en 1959, que establece un statu quo en materia territorial, donde participan los Estados que afirman derechos soberanos sobre la Antártica y otros Estados firmantes. El país hace efectiva su responsabilidad sobre este territorio mediante la presencia del Instituto Antártico Chileno (INACH), de Bases científicas y de apoyo logístico de carácter permanente, el cuidado del medio ambiente y la seguridad de la navegación. Entre las Bases se encuentran la Base General Bernardo O'Higgins, del Ejército de Chile; la Base Presidente Eduardo Frei Montalva, de la Fuerza Aérea de Chile, y la Base Julio Escudero, del INACH. Existe también un aeródromo administrado por la Fuerza Aérea, junto a la Villa Las Estrellas con habitantes todo el año.

Following its independence, the Republic of Chile inherited the same territories that the Spanish Crown had put under the dominion of its old colony, a status which also included the Antarctic as it formed part of the Government Administration of Chile. The Chilean Antarctic Territories are the natural prolongation of mainland Chile, for which the boundaries were established in 1940 by Decree N° 1747 as the area between longitude 53° and 90° W. Chile is an active member of the Antarctic Treaty signed in 1959, which lays down the status quo with regard to territorial limits for those countries that exert rights over the Antarctica as well as for other signatory States. Chile exercises its responsibilities over the territory through the presence of the Antarctic Institute of Chile (INACH), by maintaining permanent scientific and logistical support bases, and by protecting the environment and navigational safety. These Bases include the Army's General Bernardo O'Higgins Base, the Chilean Air Force's Presidente Eduardo Frei Base, and INACH's Julio Escudero Base. The Air Force operates an aerodrome next to "Villa Las Estrellas" with a resident population all year round.

Chile. Norberto Seebach. Editorial Kactus.

Editado por: **Sipimex-Editorial Kactus.** La Concepción 65, Of. 304, Providencia, Santiago, Chile, red@kactus.cl
Editor: **Dominique Verhasselt Puppinck.**
Diseño y Producción Digital: **Cristián Richardson H., Jaime Alegría G., Víctor Toro A.**
Fotografías: **Norberto Seebach.**
Textos: **Editorial Kactus.**
Traducción: **Graham Standing.**
Preprensa Digital: **Sipimex-Editorial Kactus.**
Impreso en Chile por **Ograma.**
Copyright© Sipimex-Editorial Kactus. Norberto Seebach.
Registro de Propiedad Intelectual: Inscripción N° **166.629**
ISBN: 978-956-7136-59-9

Glaciar Pío XI.
(Región de Magallanes y de la Antártica Chilena)

Glacier Pius XI.
(Magellan and Chilean Antarctica Region)